D1466173

Mon premier Halloween

MANGO *JEUNESSE* Patouille

Sommaire

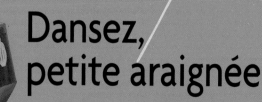

GUIDE

premier niveau

deuxième niveau

troisième niveau

très rapide

rapide

demande un peu de temps

Les mystères de la

Monstres, sorcières et joyeux lutins nous rendent visite le 31 octobre. Ils font des **farces** à gogo à ceux qui oublient de leur faire des **cadeaux**. Découvre les **mystères** d'**Halloween**, la nuit où tout est permis.

La citrouille

C'est le symbole d'Halloween. On l'évide et on sculpte dedans un masque effrayant. Puis on y place une bougie, pour se faire bien peur dans la nuit !

nuit d'Halloween

Trick or treat

Halloween est une fête très ancienne célébrée au départ par les Irlandais. Déguisés en fantôme ou en sorcière, les enfants frappent aux portes des maisons. « Des sous ou on fait les fous ! » Gare à ceux qui ne leur donnent pas de bonbons ! Cette nuit-là, les monstres, les sorcières et les fées sortent de leur cachette pour faire des farces aux petits et aux grands.

La nuit magique

C'est le seul moment où les monstres sont rigolos. Même les sorcières, d'ordinaire si méchantes, ne pensent plus qu'à faire des blagues !

Une table à faire

Pour Halloween,
organise un goûter
à faire peur.
**Araignée, fantôme et
tête de mort,**
invite-les tous à ta table.
Brrrrr !

6

beur !

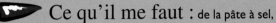

Ce qu'il me faut : de la pâte à sel, un ébauchoir, du papier aluminium, un cure-dents, de la peinture acrylique, un feutre noir, des mèches cure-pipe, des bougies chauffe-plat, un rouleau de carton (essuie-tout ou papier aluminium), un pinceau, des yeux mobiles et un rouleau à pâtisserie.

Aide-moi s'il te plaît : à m'installer et à préparer ma pâte à sel, à découper mon fantôme, à faire cuire ma pâte à sel.

Ce que j'apprends : à observer puis à dénombrer divers petits objets, à travailler de diverses façons ma pâte à sel, à réaliser plusieurs objets avec le même matériau.

l'araignée

La pâte à sel :

1 verre de sel sans fluor
2 verres de farine
1 verre d'eau.

Cuisson :

1 heure et demi à four tiède (th. 3).

Attention !
Si ta pâte colle aux doigts, rajoute de la farine et si elle est sèche, rajoute de l'eau !

1

2

Forme deux boules de pâte à sel de différentes grosseurs. Pour les pattes : coupe 8 morceaux de mèche cure-pipe et fixe-les de chaque côté du corps de l'araignée.

Après cuisson, peins ton araignée et colle ses yeux mobiles.

les fantômes

1

Agrandis et décalque le patron du fantôme, découpe-le et pose-le sur ta pâte à sel. Suis son contour avec l'ébauchoir pour le découper.

Horreurs et **monstres,** entrent dans **la ronde d'Halloween**

2

Recouvre un morceau de rouleau de carton de papier aluminium et enroule ton fantôme dessus.

3

Après cuisson, peins ton fantôme !

8

les têtes de mort

Pour faire tes drapeaux
tête de mort,
pique un cure-dent
dans des carrés
de pâte à sel.

les bougies

1 Enfonce une bougie chauffe-plat dans une boule de pâte à sel. Ne laisse que le support pour la cuisson.

2 Modèle une forme bien ronde à ta citrouille. Marque ses plis avec l'ébauchoir. Après cuisson, peins-la.

9

Fantôme et sorcière ne manquent pas d'air

La sorcière Tralalère,
Part en Angleterre.
Les fesses en arrière,
Les cheveux en l'air
Elle grimpe **sur son balai**
à poussière !
Un coup de pied par terre :
Elle se retrouve en l'air…

1

Coupe un carré de 40 x 40 cm dans la doublure blanche. Au milieu, peins deux yeux et une bouche.

2

Avec les ciseaux, perce un trou au fond du gobelet et fais passer le manche de la cuillère.

3

Resserre le tissu sous le gobelet avec du raphia.

Les cuillères sorcières sortent de la cuisine pour **fêter Halloween.**
Fantôme fait le malin, il cache sa tête sous sa robe. **Disparu !**
Où es-tu ?

Ce qu'il me faut :
1 pinceau, raphia, 1 gobelet en carton, colle pour tissu, 1 cuillère en bois, 1 doublure blanche, ciseaux.

Aide-moi s'il te plaît :
À découper le tissu et à faire un trou dans le gobelet (pour les plus petits, les aider à faire un nœud).

Ce que j'apprends :
À détourner l'usage d'un objet familier pour en construire un autre, à inventer une histoire et la mettre en scène.

Fabrique ton masque de l'épouvante

pour te joindre à l'infernale **sarabande** !

Ce qu'il te faut :
1 grande feuille de papier Canson jaune,
1 feuille de papier blanc format A4,
colle, ciseaux, 25 cm d'élastique, bande adhésive,
1 feutre noir.

Comment t'aider : à reporter le modèle.

Ce que tu apprends :
à découper en suivant un modèle.

Décalque le patron du masque et reporte-le sur ta feuille de papier.

Découpe ton masque et fais une entaille avec tes ciseaux en forme de croix à l'emplacement des yeux. À partir des entailles, fais deux petits trous.

Découpe les yeux dans le papier blanc. Colle-les. Trace au feutre noir leur contour. Dessine la bouche. Attache ton masque avec un élastique.

13

Le parcours de la peur

Passe dans le noir,
entre **araignées**
et **fantômes** et,
sans les toucher,
traverse le parcours
de la peur. **Youpi !**
Tu as survécu à l'épreuve.

Ce qu'il te faut :

<u>Pour le lampion</u> : une boîte de panetone (un gâteau italien qui s'achète en grandes surfaces et dans certaines boulangeries), de la peinture noire, un pinceau, du ruban adhésif, du fil , du papier orange, des ciseaux.
<u>Pour la guirlande araignée</u> : du fil noir, des ciseaux, des mèches cure-pipe noires.
<u>Pour le mobile fantôme</u> : des serviettes blanches en papier, du ruban adhésif, un feutre noir, un ballon blanc.

Comment t'aider :

attacher araignée et fantômes à des points stratégiques.

Ce que tu apprends :

à utiliser des objets simples pour les détourner de leur fonction habituelle.

Le bal des fantômes

Replies sur l'envers, un morceau de ruban adhésif ou utilise du double-face. Gonfle ton ballon blanc, colle la serviette dessus et dessine deux yeux noirs avec le feutre. Suspends plusieurs fantômes le long d'un fil. Voilà un horrible mobile !

Le lampion

1

Peins entièrement une boîte de panetone en noir. Décore-la avec des citrouilles ou avec les décors d'Halloween de ton choix.

2

Ouvre le fond de ta boîte. Colle un fil au fond de la boîte et attache l'araignée à l'autre extrémité. Referme la boîte et fixe une poignée.

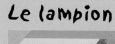

La guirlande araignée

Coupe quatre morceaux de cure-pipe. Avec l'un des morceaux, entoure les trois autres. Ecarte les pattes de ton araignée et noue-les sur le fil noir... Brrr !

Comment faire ton parcours ?

1. Peins et décore un gros carton d'emballage... voilà le tunnel !
2. Passe sous la guirlande araignée sans la toucher.
3. Tourne deux fois autour du mobile-fantôme.
4. Passe entre les lampions et tire la languette à chaque fois.

Tu peux corser la difficulté en faisant le parcours avec une araignée sur la tête, sans la faire tomber.

Meringue Fantôme

Meringue fantôme :
je te **mange** un œil,
je te mange **deux yeux**.
Je te **croque**,
je te croque.
Turlututu !
Tu as disparu !

1

Casse un œuf et sépare le blanc du jaune. Ajoute 1 pincée de sel et demande à ta maman de monter les blancs en neige.

2

Prends une cuillère de blanc d'œufs et étale-la sur la plaque.

3

Avec le dos de la cuillère, donne la forme du fantôme,
ajoute deux morceaux de cerise pour les yeux.

Ce qu'il te faut :
3 oeufs, une pincée
de sel, 50 gr. de sucre
et des cerises confites.

Comment t'aider :
Monter les blancs en neige
avec ta maman.

Ce que tu apprends :
À suivre une recette "étape
par étape", à reconnaître le salé
et le sucré.

Cric
Crac
Croc

Drôles de petites bêtes

Equipé d'un petit panier, va donc
te promener dans les bois et dans les fourrés
pour ramasser toutes les petites choses
que la nature te propose ! Une fois assemblées,
ta chambre sera bizarrement peuplée
de drôles de petites bêtes des prés.

1

Remplis les coquilles de noix de pâte à modeler, pique une allumette dedans et plante l'autre extrémité dans la coloquinte.

2

Fixe les petites feuilles directement sur la coloquinte avec des épingles.

3

Colle les grandes feuilles.

Avant d'assembler tes éléments pour animer tes petites bêtes, fais plusieurs essais !

Ce qu'il me faut :
des coloquintes, des feuilles, des glands, des coquilles de noix ou de noisettes, des brindilles, de la colle, des piques à brochette, des allumettes, des épingles, de la colle et de la pâte durcissant à l'air.

Aide-moi s'il te plaît :
à assembler les éléments de mes petites bêtes avec la colle, les épingles ou la pâte durcissant à l'air.

Ce que j'apprends :
à faire une composition avec des éléments de la nature pour animer un produit final. À mettre en scène les petites bêtes des bois !

Dansez, petite

Petite araignée,
je t'ai bien **attrapée.**
Et maintenant,
accrochée sur ta toile,
je te fais **bouger, danser...**
Petite araignée,
on va bien **s'amuser !**

22

araignée

Ce qu'il me faut :
du charbon de bois
ou un fusain, des feuilles
de papier blanc,
de la peinture, du carton,
du papier transparent
de fleuriste, de la colle,
des ciseaux
et du ruban adhésif.

**Aide-moi
s'il te plaît :**
à tracer un point au centre
de ma feuille de papier blanc,
à installer ma peinture,
à positionner ma main
dans un sens puis dans l'autre
pour peindre les pattes.

Ce que j'apprends :
à jouer avec l'espace,
à disposer
mes araignées
sur une surface
donnée, à tracer
des lignes courbes
régulières.

Tu peux **fixer** ta toile **au charbon,** avec de la **laque** pour les cheveux ou une **bombe de fixatif.**

1 Fais-toi aider pour tracer un point au centre de ta feuille. Avec le charbon, ou le fusain, dessine des traits qui passent par ce point, comme des rayons de soleil.

2 Entre chaque ligne, trace des petits ponts les uns en-dessous des autres.

4 Repose la paume de ta main au même endroit, mais en orientant tes doigts à l'opposé.

5 Laisse sécher ton araignée et découpe-la.

Hou !
Araignée,
te voilà
capturée !

3

Verse de la peinture dans une petite assiette et trempe ta
main dedans. Pose ta main sur une feuille blanche,
sans la bouger.

6

Colle ta toile sur un morceau de carton. Pose l'araignée
dessus et recouvre le tout de plastique transparent.
Fixe-le avec un morceau de ruban adhésif posé à l'arrière.
Ton araignée peut enfin se promener.

Tarte-citrouille... un délice de fripouille!

Evide une **citrouille** et deviens le roi de la **débrouille**, **cuisine**-la en tarte et **dessine**-lui une drôle de **bouille**... de citrouille. À table, petite **fripouille** !

1

Evide la citrouille à l'aide d'une cuillère à soupe, place la chair dans un bol et retire toutes les graines. Découpe les abricots secs et les écorces d'oranges en dés.

Astuce !
Demande à un adulte
de t'aider à sculpter
des yeux et une bouche
dans ta citrouille évidée.
Place une bougie chauffe-plat
à l'intérieur. Laisse un adulte
allumer la mèche.

2

Dans une casserole, verse la chair de la citrouille, les dés d'écorces d'orange et les abricots secs, le sucre, la vanille et l'eau. Demande à un adulte de faire cuire le mélange.

3

Pendant que ta préparation refroidit, pose le moulin à légumes sur un saladier. Tourne la manivelle pour réduire le tout en purée. Bats les œufs dans un bol, ajoute la crème fraîche et mélange.

Mes ustensiles :

une casserole, un moule à tarte, une spatule, du papier sulfurisé, un bol, une cuillère à soupe, une cuillère à café, un couteau à bout rond, un verre, un moulin à légumes.

Mes ingrédients :

7 ou 8 abricots secs, 7 ou 8 écorces d'oranges confites, une citrouille, deux œufs, deux verres de sucre, 1/2 verre d'eau, 1 moyen pot de crème fraîche, une pâte sablée, une gousse de vanille, du cacao en poudre. Cuisson 20 minutes, thermostat 5.

Le petit coup de main de l'adulte :

pour couper la citrouille, pour monter le moulin à légumes et pour utiliser la gazinière et le four.

4

Tapisse le moule à tarte de papier sulfurisé et pose ta pâte dessus. Verse ta préparation. Retire le surplus de pâte, malaxe-le avec du caco et roule-le en boudin.

5

Après cuisson, décore ta tarte en citrouille avec le reste de ta pâte mélangée au caco et creuse ta citrouille pour décorer la table.

Le sorcier

Du **maquillage vert** et **noir**... voilà tout ce qu'il te faut pour te transformer en grand **Sorcier** des Araignées !

Ce qu'il te faut : un crayon khôl noir et du fard à paupières vert.

Comment t'aider : à dessiner la petite araignée au bout du nez.

Ce que tu apprends : à créer un maquillage expressif avec des produits inhabituels.

des araignées

1

Dessine des étoiles sur tes joues avec un crayon khôl noir.

2

Relie chaque branche de tes étoiles par des petits ponts.

3

Dessine des araignées sur le bout de ton nez et en bas d'une des toiles.

4

Trace avec ton doigt des traits épais de fard vert sur tes sourcils et sur ta bouche.

Dansez, dansez... araignée

Bien **déguisé**
dans ton costume
d'**araignée noire**,
tu rejoindras
dans le noir,
chauve-souris
et chat noir
pour le **grand bal
d'Halloween**.

et chauve-souris !

Petit matériel :
un grand carton de récupération, un pinceau brosse, de la peinture noire, un crayon, une agrafeuse, des ciseaux, du ruban noir, du ruban adhésif, deux feuilles de papier cartonné noir (format raisin), une règle.

Aide-moi s'il te plaît :
à coller bien bord à bord mes deux feuilles de papier noir et à bien suivre mon tracé pour plier les ailes en éventail.

Ce que j'apprends :
à développer ma concentration, à maîtriser mes gestes.

La chauve-souris

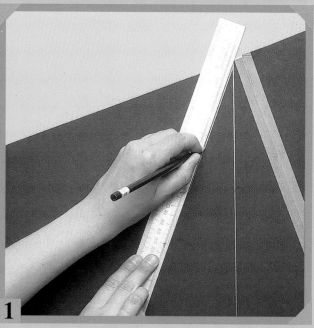

1

Pose devant toi, dans le sens de la hauteur, tes deux feuilles de papier noir. Assemble-les avec du ruban adhésif. Trace au crayon des traits comme des rayons de soleil en partant d'un même point situé en haut et au milieu des feuilles.

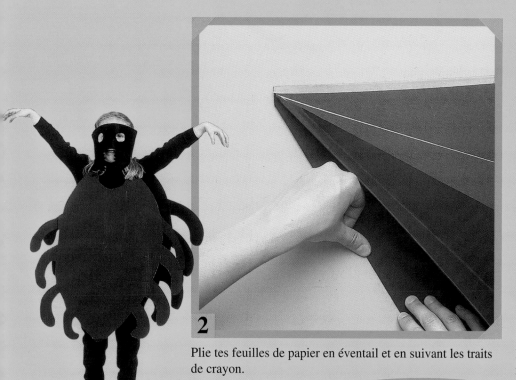

2

Plie tes feuilles de papier en éventail et en suivant les traits de crayon.

3

Découpe des arrondis aux deux extrémités. Agrafe un ruban noir au niveau du cou et à un centimètre du bord.

L'araignée

1

Sur le carton, trace et découpe deux formes identiques d'araignée géante. Peins-les en noir avec le pinceau brosse.

2

Sur chaque face d'araignée : coupe un arrondi au niveau du cou et fais deux trous de chaque côté avec la pointe de ton crayon. Assemble le devant et le dos de ton araignée en passant un ruban dans les trous et sur tes épaules.

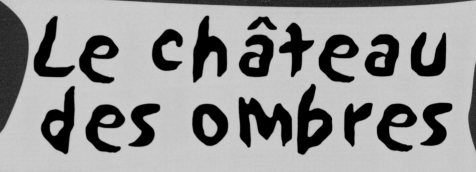

Construis en un clin d'œil
le **château des Cauchemars**
où sera donné, cette année,
le **grand bal d'Halloween !**

1

Dessine et découpe sur le carton la forme du château
et ses fenêtres. Demande à un adulte de les ouvrir
avec le cutter.

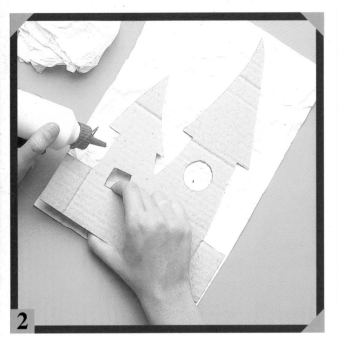

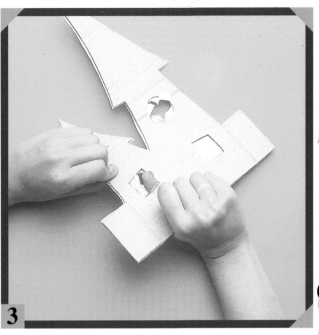

2

Froisse une feuille de papier blanc, déplie-la
et colle-la sur le château.

3

Perce les fenêtres avec ton pouce en enfonçant le papier
vers l'arrière de ton château. Donne avec tes ciseaux
la forme du château à ta feuille de papier froissé.

En découpant ta forme de château, n'oublie pas de laisser des languettes de chaque côté de celui-ci pour le faire tenir debout !

ATTENTION

Ce qu'il me faut :

un carton d'épaisseur
moyenne, des ciseaux,
un crayon de papier,
de la colle blanche, un
cutter pour les parents,
deux feuilles blanches,
du papier vitrail ou des
emballages de bonbons
transparents de couleur,
de la peinture bleue
et blanche, un pinceau
brosse.

Aide-moi s'il te plaît :

à juste effleurer la feuille
pour peindre seulement
les parties en relief,
à ouvrir les fenêtres
de mon château.

Ce que j'apprends :

à évider des parties
dans du carton. À
imaginer d'autres
formes pour
mon château.

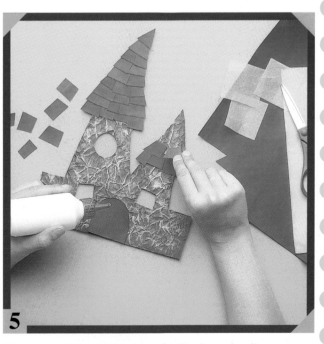

4

Passe une couche de peinture bleue. Après séchage, effleure
ton château avec le pinceau brosse, sans le mouiller mais
en le trempant simplement dans la peinture blanche.

5

Décore ton château. Peins une feuille de papier d'un autre
bleu, découpe-la en rectangles. Colle-les sur le toit
pour faire les tuiles et fixe du papier vitrail derrière chacune
des fenêtres.

Mystères et drôles

Une citrouille monstrueuse !

Pâte gluante, ou faux animaux dégoûtants...
Pour Halloween, toutes les blagues sont permises !
Place les objets dans tes boîtes à mystères,
demande à ta victime d'y glisser sa main !

Ce qu'il te faut :

un petit baril de lessive ou une boîte à chaussures, de la peinture blanche et orange, un pinceau, une feuille de papier cartonné noir, un cutter pour les parents, des ciseaux, du ruban adhésif, une bouteille en plastique, un gant en caoutchouc, un gabarit rond.

Comment t'aider : à découper ma bouteille, à découper le rond dans le couvercle.

Ce que tu apprends : à anticiper l'effet que produiront les objets que j'ai choisi de placer dans mes boîtes. À développer mon sens du toucher.

1 Fais découper par un adulte le fond d'une bouteille en plastique. Peins-la en orange. Peins les yeux, le nez et les dents. Fends d'un côté le gant et découpe des crans en haut.

2 Place le gant dans le fond de ta bouteille et replie-le tout autour vers l'extérieur.

de boîtes !
La boîte à frissons

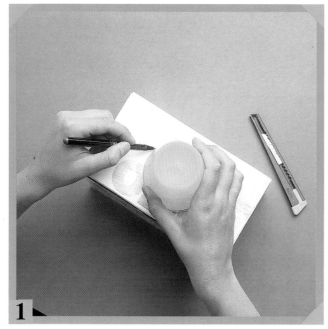

1 Pose un objet rond sur le couvercle de la boîte et trace son contour. Demande à un adulte de découper le cercle avec un cutter.

2 Peins ta boîte en orange et laisse-la sécher. Découpe et colle des chauve-souris en papier noir pour décorer ta boîte.

3 Retourne le couvercle de la boîte. Fixe le gant avec du ruban adhésif autour du trou et découpe les doigts pour passer ta main.

Miam, Miam, mes bonbons !

Citrouille,
main de sorcière
ou **araignée**,
donne la forme
de ton choix
à ton **sac**
d'**Halloween**
et remplis-le
à ton gré
de **malices** ou
de **friandises** !

Petit matériel : une jatte ou un petit plat (pour le gabarit), de la feutrine rose, noire et orange, un stylo à bille, de la colle, des ciseaux, un gant en caoutchouc.

Aide-moi s'il te plaît : à couper une entaille dans la feutrine et à tracer mes modèles de chauve-souris et d'araignée.

Ce que j'apprends : à assembler bord à bord pour bien faire coïncider les deux parties de mon sac. À évider une partie dans un tissu.

Le sac-citrouille

1

À l'aide du gabarit, trace deux formes identiques de citrouille sur la feutrine. Dessine les anses avec le stylo à bille.

Le sac-main

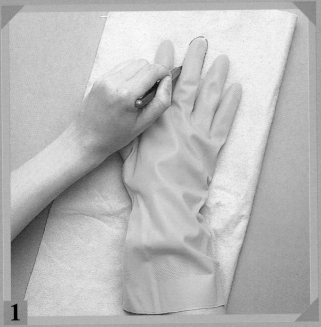

1

Enfile le gant en caoutchouc et trace son contour sur de la feutrine rose avec un stylo à bille. Dessine une anse à l'emplacement du poignet.

2

Entaille et évide l'anse de ton gant et colle-le de la même façon que pour le sac-citrouille.

Chauve-souris et araignée... toutes les formes sont à imaginer pour aller récolter les bonbons d'Halloween, avant de les déguster !

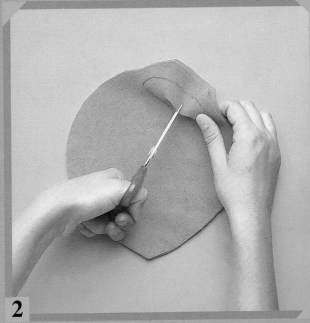

2

Pince la feutrine au centre del'anse et coupe une entaille avec les ciseaux pour évider les anses et le haut de ton sac.

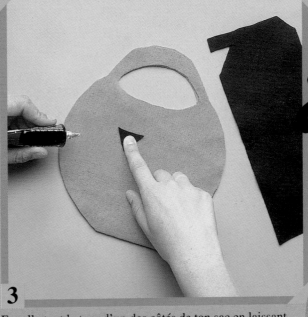

3

Encolle tout le tour d'un des côtés de ton sac en laissant les anses et le haut libres. Assemble les deux faces du sac. Découpe les yeux, la bouche et le nez de ta citrouille dans la feutrine noire et décore-la.

© 2000 Patouille pour les créations, les textes et les images
© 2000 Mango Jeunesse pour la présente édition
Loi n°49-956 du 16 juillet 1949
sur les publications destinées à la jeunesse
Dépôt légal : octobre 2000
ISBN : 2 7404 1079-4